¡QUÉ PANDA DE MONOS!

Cuento: © Bayard Presse-Les Belles Histoires-Chloé Tartinville-mai 2014.
Ilustraciones: © Bayard Presse-Les Belles Histoires-Pierre Pratt-mai 2014.
Traducción: Juan Carlos Chandro.

Éstos son Java, Kikim y Bao.
Viven en el zoo desde que eran muy pequeños.

Todos los días,
en cuanto el zoo abre sus puertas
y los visitantes comienzan a entrar,
los tres amigos monos
se sientan para verlos pasar.
A Java, Kikim y Bao
nada les divierte tanto
como esos humanos tan graciosos.
Los hay de todo tipo:
bajos y regordetes;
altos y delgados;
con orejas grandes; con cabeza alargada;
con nariz ganchuda; con perilla;
con melena pelirroja
y sin nada de pelo.

El mono Bao dice:

—¡Qué panda de seres tan raros!
¿Por qué no tienen pelo como nosotros?
¿Quién los ha rapado?
¡Me parecen ridículos!

El mono Kikim exclama:

—¡Son tan cómicos
que esto parece un circo!
Tienen las piernas larguísimas
y los brazos muy cortos.

El mono Java se rasca la cabeza:

—Yo no entiendo su lenguaje.
Lo único que saben decir
es «bla, bla, bla».

Los tres monos están
tan entretenidos riéndose
que no ven a un niño pequeño:
un pequeñajo que no mide
más de un metro.
El niño se ha subido a la valla
para intentar tocarlos.
Pero, cuando alarga la mano…
¡cataplum!, cae dentro del vallado,
en medio de los monos,
que escapan a todo correr.
El niño no tiene ni pizca de miedo,
¡al contrario! Le divierte jugar al escondite…
Está decidido a atrapar
a los monos sea como sea.

Escondidos en su cabaña,
los tres monos no mueven ni un pelo.
    —¿Creéis que picará? —pregunta Kikim.
    —No lo sé, pero seguro
que araña y muerde —contesta Java.
    —Tengo miedo —gime Bao en voz baja.
    Mientras tanto, el niño los busca
por todos lados: debajo de las hojas,
detrás de los troncos de los árboles,
entre el bambú…
Hasta que, de repente, ¿qué ve?
¡Tres largas colas peludas
que salen de una pequeña cabaña de madera!

El niño agarra las tres colas
y tira fuerte.
¡Plif! ¡Plaf! ¡Plof! Los monos caen de la cabaña,
pero se ponen en pie rápidamente
y empiezan a correr en todas direcciones
y a saltar entre las ramas.
¡Ahora, al niño le parece más divertido
jugar al pillapilla!

Al pequeño le gustaría mucho
alcanzar a los tres monos,
¡aunque no es nada fácil!
A diferencia de ellos,
él no es muy rápido ni muy ágil.
Por más que intente trepar,
nunca llegará hasta la cima del árbol.

Así que no le queda más remedio
que abandonar.
Cansado por la carrera,
el niño se tumba en las hojas
para echar una siestecita.

Tan pronto como se duerme,
Java, Kikim y Bao se acercan
con mucha curiosidad para verlo mejor.
Kikim le dice a Java:

    —Oye, te pareces un poco a él;
tenéis el pelo igual.

    Java contesta:

    —¿Ah, sí? Pues a mí me recuerda a ti.
Mira, se chupa el dedo mientras duerme,
como haces tú todo el tiempo.

    Bao exclama:

    —¡Dejad de decir tonterías!
¿No veis que se parece un poco
a los tres?

Con tanto hablar, los tres monos
acaban despertando al niño.
Ahora no tienen tiempo de escapar,
¡están atrapados!
Piensan: «¡Esto es el fin!
¡Este pequeño humano nos va a devorar!».
Tienen tanto miedo que tiemblan como hojas.
Y es que no han entendido nada de nada:
el niño no es malo, ¡claro que no!
No los va a arañar ni a morder.
En vez de eso, se acurruca en los brazos
de Bao y se aprieta contra su suave piel.
Los monos están tan sorprendidos
que, por una vez, se quedan callados.
¡Vaya, vaya!
¡Lo único que el pequeño humano quería
eran unos mimos!

Más tranquilos ya,
los monos se llevan
a su nuevo amigo
para jugar con él
a sus juegos favoritos:
buscarle piojos…

… columpiarse de pie
sobre una rueda de camión…

… o jugar al fútbol
como profesionales
con un coco.
Se divierten juntos
durante toda la tarde.

Hasta que un guarda del zoo llega desde el otro lado
del vallado para buscar al niño y llevarlo con sus padres.
¡Qué pena! Ahora que los tres monos
son amigos del pequeño humano, tienen que separarse.
Java, Kikim y Bao se despiden del niño con la mano,
aunque esperan que vuelva pronto.

Desde ese día, todas las mañanas,
los tres monos esperan a los visitantes del zoo.
Pero ya no es para burlarse de ellos, no.
¡Se acabaron las monerías!
Ahora, quieren conocerlos
y, cada día, hacen nuevos amigos.
Al final, Java, Kikim y Bao
han llegado a la conclusión
de que, aunque tengan cabezas muy raras
y patas muy largas,
¡los humanos son bastante majos!

FIN

¿Quieres recibir CARACOLA en casa todos los meses?

Regalo:
set de pinturas
de cuatro pisos

Una suscripción a CARACOLA es:

✓ Un **nuevo ejemplar** cada mes (10 números).

✓ Un estupendo regalo de bienvenida:
un set de pinturas de cuatro pisos.

✓ Carné del **Club Bayard** con todas sus ventajas
(más información en www.bayard-revistas.com/clubbayard).

✓ Garantía de **satisfacción o reembolso.**

> Rellena hoy mismo este boletín y envíanoslo por correo a: Bayard Revistas, c/Alcalá, 261-265, 28027 Madrid.
> También puedes suscribirte a través de nuestra web www.bayard-revistas.com, o llamando al 902 411 411.

☑ **Sí,** QUIERO SUSCRIBIR A MI HIJO/A DURANTE UN AÑO (10 NÚMEROS, INCLUYE UN ESPECIAL NAVIDAD Y UN ESPECIAL DE VERANO) A LA REVISTA CARACOLA POR 56,95 ⊠. ADEMÁS, MI HIJO RECIBIRÁ EL SET DE PINTURAS COMO REGALO DE BIENVENIDA Y EL CARNÉ DEL CLUB BAYARD CON TODAS SUS VENTAJAS POR UN AÑO.

DATOS DE MI HIJO/A

APELLIDOS └┴┴┴┴┴┴┴┴┴┴┴┴┴┴┴┴┴┴┴┴┴┴┴┴┴┴┴┴┴┴┘

NOMBRE └┴┴┴┴┴┴┴┴┴┴┴┴┴┴┴┴┴┴┴┘ FECHA DE NACIMIENTO └┴┴┘ / └┴┴┘ / └┴┴┘

CALLE └┴┴┴┴┴┴┴┴┴┴┴┴┴┴┴┴┴┴┴┴┴┴┘ N.º └┴┴┴┘ PISO └┴┴┘

C. P. └┴┴┴┴┘ POBLACIÓN └┴┴┴┴┴┴┴┴┴┴┴┴┴┴┴┴┴┘

PROVINCIA └┴┴┴┴┴┴┴┴┴┴┴┘ TEL. └┴┴┴┴┴┴┴┴┘

E-MAIL └┴┴┴┴┴┴┴┴┴┴┴┴┴┴┴┴┴┴┴┴┴┴┴┴┴┴┘

AUTMAY/SET

FORMA DE PAGO

☐ **POR DOMICILIACIÓN BANCARIA.** Mediante la firma de esta orden de domiciliación, el deudor autoriza (A) al acreedor a enviar instrucciones a la entidad del deudor para adeudar en su cuenta y (B) a la entidad para efectuar los adeudos en su cuenta siguiendo las instrucciones del acreedor. Como parte de sus derechos, el deudor está legitimado al reembolso por su entidad en los términos y condiciones del contrato suscrito con la misma. La solicitud de reembolso deberá efectuarse dentro de las ocho semanas que siguen a la fecha de adeudo en cuenta. Puede obtener información adicional sobre sus derechos en su entidad financiera.

BAYARD REVISTAS, S. A. C/ ALCALÁ, 261-265, 28027 MADRID. ICS ES77001A78874054

TITULAR DE LA CUENTA └┴┴┴┴┴┴┴┴┴┴┴┴┴┴┴┴┴┴┴┴┴┴┘

CALLE └┴┴┴┴┴┴┴┴┴┴┴┴┴┴┴┴┴┴┴┴┴┴┘ N.º └┴┴┴┘ PISO └┴┴┴┘

C. P. └┴┴┴┴┘ POBLACIÓN └┴┴┴┴┴┴┴┴┴┴┴┴┴┴┴┴┘

E-MAIL └┴┴┴┴┴┴┴┴┴┴┴┴┴┴┴┴┴┴┴┴┴┴┴┘

CÓDIGO DE CUENTA (IBAN): └┴┴┴┴┘ └┴┴┴┴┘ └┴┴┴┴┘ └┴┴┘ └┴┴┴┴┴┴┴┴┴┴┘ BIC: └┴┴┴┴┴┴┴┴┴┴┘
　　　　　　　　　　　　　　País + dígito　　Entidad　　　Oficina　　　D.C.　　　N.º cuenta

Orden de domiciliación de adeudo básico (a rellenar por Bayard): └┴┴┴┴┴┴┴┴┴┴┴┴┴┘

TIPO DE PAGO: PAGO RECURRENTE　　　　　　　　　(Para su información, le enviaremos este código por correo electrónico)

☐ **POR TARJETA DE CRÉDITO,** para lo cual facilito los siguientes datos: Muy Sres. míos, les ruego carguen, hasta nuevo aviso, los recibos que presente Bayard Revistas a mi nombre, en la tarjeta que indico a continuación:

VISA ☐ VISA　　　**ServiRed** ☐ SERVIRED　　　**ELECTRON** ☐ VISA ELECTRON

TITULAR DE LA TARJETA └┴┴┴┴┴┴┴┴┴┴┴┴┴┴┴┴┴┴┴┴┴┴┴┘

DNI └┴┴┴┴┴┴┴┘ N.º DE TARJETA └┴┴┴┴┘ └┴┴┴┴┘ └┴┴┴┴┘ └┴┴┴┴┘ CADUCIDAD └┴┴┘ / └┴┴┘

☐ **POR TALÓN** QUE ADJUNTO A NOMBRE DE BAYARD REVISTAS, N.º └┴┴┴┴┴┴┴┴┴┴┘　　　FIRMA DEL TITULAR:

┌───┐
│ SI TU HIJO/A YA ES SUSCRIPTOR DE BAYARD REVISTAS, INDÍCANOS │
│ ☐ SÍ, QUIERO RENOVAR MI SUSCRIPCIÓN A CARACOLA. │
│ ACTUALMENTE RECIBE .... Y DESEAMOS CAMBIAR │
│ SU SUSCRIPCIÓN A CARACOLA YA ☐ A SU VENCIMIENTO ☐ │
└───┘

FECHA └┴┴┘ / └┴┴┘ / └┴┴┘

¿CÓMO SE CURAN LAS HERIDAS?

TIENE EL CODO ROJO. ¿LA HERIDA SE VA A CURAR SOLA O HAY QUE LLAMAR AL MÉDICO?

RAS RAS

¡HUY! ¡LE DUELE! ¡Y SANGRA!

VAMOS VOLANDO ENSEGUIDA A VER CÓMO SE CURAN LAS HERIDAS.

25

DESCUBRIR

Cuando te haces un rasguño, sangras un poquito, como este niño que se ha caído sobre el codo. Duele un poco, pero enseguida deja de sangrar.

1. No. La sangre deja de salir ella sola. Forma una especie de red muy apretada. Esa red cubre la herida formando un tapón que no deja salir la sangre.

2. Todavía no. Porque, antes, hay que limpiar bien la herida para que los microbios no entren en el cuerpo. Si la herida no está limpia, la sangre luchará contra los microbios y verás que aparece un líquido amarillo: es el **pus**.

YA LO ENTIENDO:
CUANDO NOS HACEMOS UNA HERIDA,
SALE SANGRE. LUEGO, SE FORMA
UN TAPÓN SOBRE LA HERIDA.
SI NO NOS RASCAMOS, SE SECA
Y SE CONVIERTE EN UNA COSTRA
QUE SE CAE SOLA. UNOS DÍAS DESPUÉS,
TENEMOS UN TROZO DE PIEL NUEVA
EN EL LUGAR DONDE ESTABA
LA HERIDA.

3. ¡Pues sí! El tapón de sangre que está encima de la herida se seca y forma una costra. No hay que arrancarla porque, si se quita ese tapón, la sangre vuelve a salir. Un tiempo después, la costra se cae sola, porque la piel ha crecido por debajo. ¡Ya está! ¡La herida se ha curado!

¡OH! DEBAJO, HAY UNA PIEL SONROSADA Y NUEVA.

Y, SI ME PONGO UNA TIRITA, ¿LA HERIDA DESAPARECE?

¡No! La tirita no hace que la herida desaparezca. Las tiritas y las vendas sirven para proteger la herida y que no se vuelva a abrir.

PACK DE 10 REVISTAS TEMÁTICAS + CD de regalo

ME GUSTA EL INGLÉS
CON CARACOLA

Una cita para descubrir el inglés con Osito Pardo:

✓ **Imágenes** relativas al tema del número

✓ **Juegos** para aprender palabras y números en inglés

✓ **La letra de la canción** del CD audio para memorizar palabras

✓ **Fotos** para descubrir el mundo anglosajón

✓ **Pegatinas** para situar en las páginas de juegos

1 CD audio de regalo

Nivel inicial

Rellena hoy mismo esta hoja de pedido y envíanosla por correo a: Bayard Revistas, c/ Alcalá, 261-265, 28027 Madrid. También puedes pedir la colección a través de nuestra web www.bayard-revistas.com, o llamando al 902 411 411.

☑ **Sí,** QUIERO RECIBIR **EN UN ÚNICO ENVÍO** LA COLECCIÓN «ME GUSTA EL INGLÉS CON CARACOLA» (LOS 10 NÚMEROS) + 1 CD AUDIO DE REGALO, TODO POR 35,00 €.

AUT/MAY

DATOS DE MI HIJO/A

APELLIDOS

NOMBRE

CALLE   N.º   PISO

C. P.   POBLACIÓN

PROVINCIA   TEL.

E-MAIL

FORMA DE PAGO

☐ **POR DOMICILIACIÓN BANCARIA.** Mediante la firma de esta orden de domiciliación, el deudor autoriza (A) al acreedor a enviar instrucciones a la entidad del deudor para adeudar en su cuenta y (B) a la entidad para efectuar los adeudos en su cuenta siguiendo las instrucciones del acreedor. Como parte de sus derechos, el deudor está legitimado al reembolso por su entidad en los términos y condiciones del contrato suscrito con la misma. La solicitud de reembolso deberá efectuarse dentro de las ocho semanas que siguen a la fecha de adeudo en cuenta. Puede obtener información adicional sobre sus derechos en su entidad financiera.

BAYARD REVISTAS, S. A. C/ ALCALÁ, 261-265, 28027 MADRID. ICS ES77001A78874054

TITULAR DE LA CUENTA

CALLE   N.º   PISO

C. P.   POBLACIÓN

E-MAIL

CÓDIGO DE CUENTA (IBAN):   BIC:

País + dígito   Entidad   Oficina   D.C.   N.º cuenta

☐ **POR TARJETA DE CRÉDITO,** para lo cual facilito los siguientes datos: Muy Sres. míos, les ruego carguen, hasta nuevo aviso, los recibos que presente Bayard Revistas a mi nombre, en la tarjeta que indico a continuación:

VISA ☐ VISA   **Servired** ☐ SERVIRED   **ELECTRON** ☐ VISA ELECTRON

TITULAR DE LA TARJETA

DNI   N.º DE TARJETA   CADUCIDAD   /

☐ **POR TALÓN** QUE ADJUNTO A NOMBRE DE BAYARD REVISTAS, N.º

FIRMA DEL TITULAR:

FECHA   /   /

¿De quién son estas patas tan largas?

Espigada la jirafa

Hola, me llamo Espigada y soy una jirafa. Gracias a mis largas patas y a mi larguísimo cuello, veo bien el paisaje. Vivo en la sabana, en África.

Espigada tiene dos cuernos en la cabeza. Otras jirafas tienen cuatro y hasta cinco cuernos. Pero no es muy frecuente. A veces, las jirafas macho usan los cuernos para pelearse entre sí.

La jirafa tiene la lengua negra y pegajosa. ¡Y tan larga como tu brazo! La usa para arrancar las ramas tiernas que están en lo alto de los árboles. ¡Ñam!

El pelaje de Espigada tiene unos dibujos muy bonitos. Aunque la piel de todas las jirafas se parece mucho, cada una tiene los dibujos un poco diferentes.

La jirafa es el animal
más alto del mundo.
Si se pusiera de pie
al lado de una casa,
una jirafa macho podría
mirar por las ventanas
del primer piso.
Gracias a su gran tamaño,
las jirafas son los únicos
animales de la sabana
que llegan a la parte de arriba
de los árboles más altos.
¡Así tienen más comida!

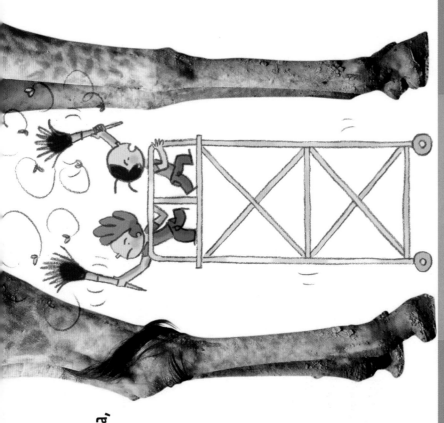

Al final de la cola,
tiene un «pincel»
de pelos
largos y negros.
Las jirafas mueven
la cola sin parar
para espantar
a los insectos
que las molestan.

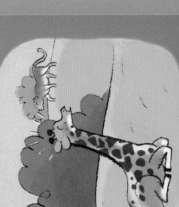
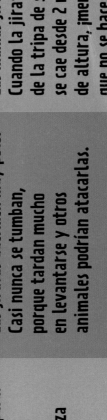

Las mamás jirafa paren de pie.
Cuando la jirafita sale
de la tripa de su madre,
se cae desde 2 metros
de altura, ¡menos mal
que no se hace daño!

Las jirafas duermen muy poco.
Casi nunca se tumban,
porque tardan mucho
en levantarse y otros
animales podrían atacarlas.

Para beber, tienen que separar
las patas delanteras,
porque son muy largas.
Así, pueden bajar la cabeza
hasta el nivel del agua.

Las jirafas tienen
las patas muy largas.
Cuando corren, las separan
para no ponerse la zancadilla
ellas mismas.

Ilustraciones: © Bayard Presse-Pomme d'Api- Béatrice Veillon-mai 2014.

LOS BUSQUET EN EL ZOO

En este zoo, viven más de 1000 animales en grandes recintos cercados, en casas de cristal y en pajareras. Busca a la familia y a estos animales...

La mamá

El papá

La hija

El hijo

 El perro

 Un tapir

 Un lobo

 Un buitre

 Un babuino

 Un gran kudú

 Un loro

 Una leona

 Los peluches perdidos

33

Osito Pardo

va a patinar

1. Osito Pardo va al parque a patinar. Se pone los patines él solo. ¡Es mayor ya!

2. Se pone el casco y todas las protecciones. No se deja ni una. ¡Como los campeones!

3. Mamá Osa no está preparada aún. Osito Pardo no la espera. ¡Fiuuum!

4. ¡Pumba! Osito se cae al suelo y dice:
—¡Pues sí que ruedan bien estos patines!

5. Al principio, mamá Osa le da la mano, pero Osito Pardo se suelta rápido.

6. Osito Pardo mueve un pie; luego, el otro. ¡Qué bien va! ¡Se siente muy orgulloso!

7. Mamá Osa se acerca a felicitarlo:
—¡Pero qué bien patinas ya, Osito Pardo!

LAS AVENTURAS DE...

La familia Noé

Papá   Mamá   Mili   Jorge   Leonardo

En la familia Noé, lo que empieza mal acaba bien

El cumpleaños de Mili

Para su cumpleaños, Mili ha invitado a sus tres mejores amigos: Nacho, Lu y María.
Están tan contentos de estar en casa de Mili, que corren por todos lados. Mili los llama:
—¡Venid, vamos a pescar regalos! Mamá dice: —Buena idea. Yo voy a terminar la tarta.

¡Qué bien! Los amigos de Mili son unos campeones pescando regalos.

En cambio, Mili sólo pesca un regalo muy pequeño. Y se enfada un poco...

Pero Mili no quiere estar enfadada el día de su cumple y dice: —¡Vamos a jugar a otra cosa! ¿Hacemos una cabaña debajo de la mesa? Sus amigos gritan: —¡Sí, sí, yupi!

Mili les dice: —Ya tenemos todo lo necesario para hacer una cabaña estupenda.

—Y vamos a usar las cañas de pescar para levantar el techo. ¡Ya casi está!

Cuando mamá vuelve con la tarta, ¡qué sorpresa! Mili dice: —¿Has visto? Es mi cabaña de cumpleaños. ¿Podemos merendar aquí, mami? Jorge pregunta: —¿Y comer muchas chuches

Mamá se ríe: —Bueno, vale, pero es imposible que soples las velas dentro de la cabaña; se puede quemar. Mili contesta: —¡Pues, entonces, haremos un jardín!

Un jardín delante de la cabaña de cumpleaños, ¡qué buena idea! Todos los niños van a buscar macetas de flores y plantas verdes para hacer el jardín.

Y, así, este año, Mili sopla las velas... ¡en el suelo! Sus amigos cantan «Cumpleaños feliz» con la boca llena de chuches. Mili está encantada. Y Jorge piensa que, esta noche, le gustaría dormir ahí dentro, con todos los amigos de Mili y con su pato Leonardo.

Guión: © Bayard Presse-Pomme d'Api-Sophie Chabot-mai 2014. Ilustraciones: © Bayard Presse-Pomme d'Api-Anne Wilsdorf-mai 2014.

LAS AVENTURAS DE...

SAMSAM
El más pequeño de los grandes héroes

LA CÁMARA DE CLONAR

SamSam es un gran héroe espacial pero, a veces, también hace travesuras...

1

¡Ha cogido sin permiso la cámara de clonar de su papá! ¡Y lo tiene prohibido!

¡SamSam, eso no!

2

SamSam dice: —¡A ver qué pasa si aprieto este botón!

¡No lo toques!

3

¡FIUMMM! ¡De la cámara de clonar sale un relámpago!

4

Y, delante de SamSam, aparecen... ¡dos SamMamás!

¡Ay, ay!

5

Una cámara de clonar es como una de fotos,
pero en mucho más moderno:
¡saca dobles que se llaman «clones»!

6

Una SamMamá está furiosa.
La otra, muy contenta y sonriente.
SamSam se pregunta cuál es su mamá.

7

—¡Soy yo! —grita la mamá enfadada.
—¡No! ¡Soy yo! —asegura la otra mamá.

8

La mamá enfadada dice: —Si quieres
saber cuál es tu mamá, danos un beso.
Y SamSam da un beso a la sonriente...

9

... que desaparece al momento.
¡Era la de mentira, el clon!

10

Porque los besos de verdad sólo se dan
a las mamás de verdad.
¡Eso lo sabe cualquiera!

11

Guión e ilustración: © Bayard Presse-Pomme d'Api-Serge Bloch-mai 2007. Color: © Bayard Presse-Pomme d'Api-Rémi Chaurand-mai 2007.

41

LAS AVENTURAS DE...

Una historia sin palabras para que tú le pongas las tuyas

Creación e ilustración: © Bayard Presse-Les Belles Histoires-Régis Faller-mai 2014.

Un día, Polo salió a pescar...

EL JUEGO DE LOS PATINES
de Osito Pardo

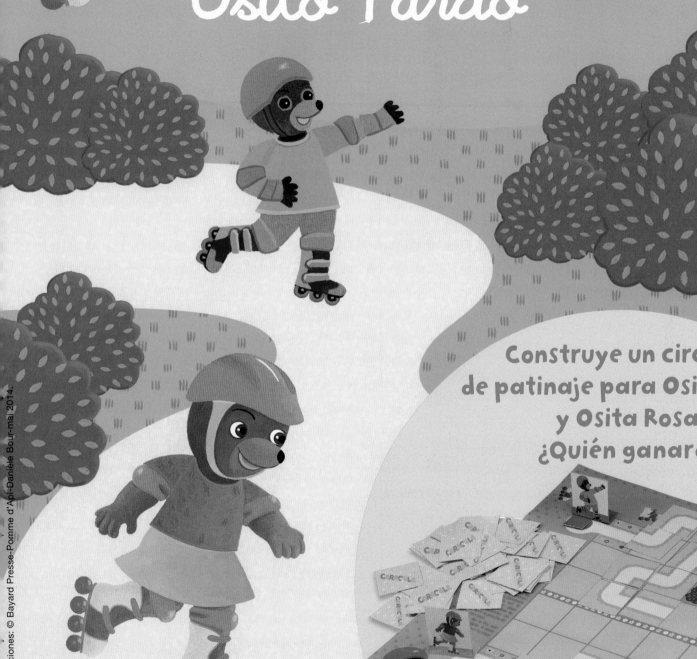

Construye un circuito de patinaje para Osito Pardo y Osita Rosa. ¿Quién ganará?

EL JUEGO DE LOS PATINES
de
Osito Pardo

SALIDA

Objetivo del juego:
acabar de construir
un circuito para los
patinadores en primer lugar.

Reglas del juego:
Es un juego para 2 jugadores.
Cada uno elige una ficha y
la pone en la casilla de SALIDA.
Se ponen sobre la mesa,
en un montón bocabajo,
las 49 cartas. Por turnos,
cada jugador roba una carta
del montón, le da la vuelta
y la pone en la casilla que
tiene un patín. Se siguen
robando cartas por turnos
para seguir construyendo
el circuito, sin tapar nunca
los arbustos.
Para llegar antes a la meta,
se pueden usar los tramos de
circuito que vienen incluidos
en el tablero.
Si la carta robada no permite
avanzar, se pone otra vez en
el montón y se deja pasar el
turno. Gana el jugador que
antes acaba su circuito
y pone su ficha en la casilla
de LLEGADA.

SALIDA

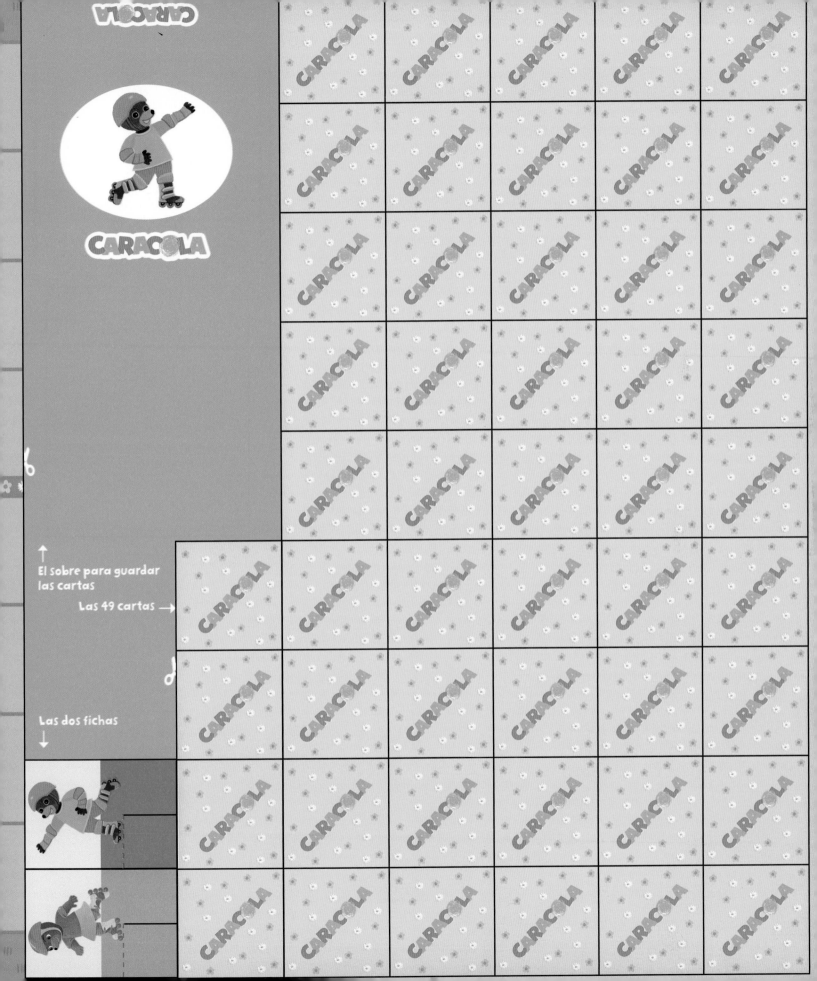

CARACOLA

CARACOLA

El Sobre para guardar
las cartas

Las 49 cartas →

Las dos fichas
↓

1 - Recorta por la línea negra las 49 cartas, el sobre para guardarlas y las dos fichas.

2 - Para hacer el sobre, dobla por las líneas de rayitas rojas (con las rayitas hacia dentro) y pega con celo los dos lados.

3 - Para montar las dos fichas, corta con cuidado por la línea negra del centro y dobla una solapa para cada lado, como en el dibujo.

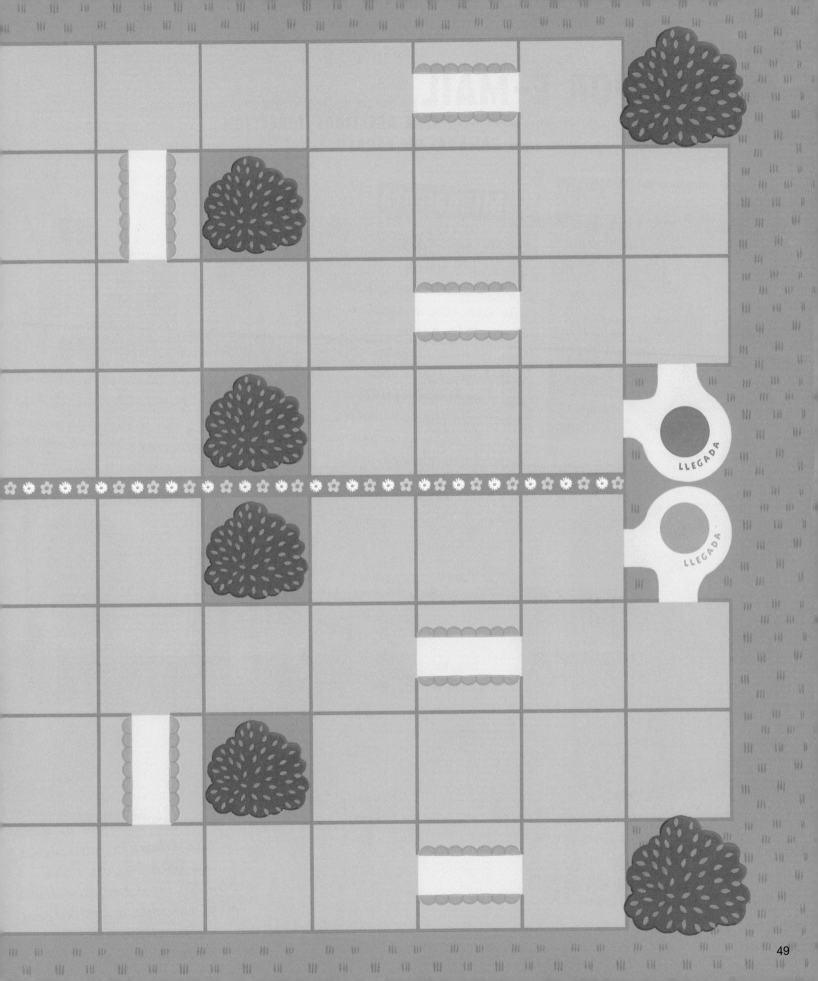

CORREO
ENVÍA POR E-MAIL tus dibujos, tu foto, la foto de tu mascota... a:

caracola@bayard-revistas.com. No olvides poner tu **NOMBRE**, **APELLIDOS** y **DIRECCIÓN**.

¡Si lo publicamos en esta página de la revista, **GANARÁS UN REGALO**!

Mi mascota

«Hola, soy Aitana
y tengo 5 años.
Tengo cuatro periquitos
que son mis mascotas:
Coco, Piki, Perla y Diva.
Les damos alpiste
y lechuga. Cada día,
les abrimos la jaula
para que puedan volar
por el salón y ejercitar
sus alitas. ¡Besos!»

«Hola, soy Antía Otero Oubiña.
Tengo 5 años y me gustan las princesas.
Y éstas son mis preferidas: Cenicienta,
Blancanieves, Bella y Rapuncel.»

«Hola, somos Muriel y Marla,
tenemos 5 y 4 años. Nos
gusta muchísimo Caracola.
¡Nos encanta disfrazarnos,
bailar y cocinar galletas
y pizza para papá y mamá!»

«Hola, somos Octave y Baptiste.
Tenemos 3 y 5 años
y hemos dibujado este fondo
marino con las manos.»

Desde Alicante, nos envía
su foto Marta Rosa
Fernández-Canteli Adame
para saludar a los lectores
y para que veamos
que es una artista.